ELOGIO DE LA SOMBRA

OBRA POETICA DE BORGES

Volúmenes individuales

FERVOR DE BUENOS AIRES. 1923

Guardas e ilustración frente a la portada por
NORAH BORGES

LUNA DE ENFRENTE y CUADERNO SAN MARTIN. 1925-1929

Guardas e ilustración frente a la portada por
JUAN EICHLER

EL OTRO, EL MISMO. 1930-1967

Guardas e ilustración frente a la portada por
RAÚL SOLDI

ELOGIO DE LA SOMBRA.* 1967-1969

Guardas e ilustración frente a la portada por
HÉCTOR BASALDÚA

* Editado también en la Colección Piragua.

Jorge Luis Borges

ELOGIO DE LA SOMBRA

EMECÉ

La ilustración de las guardas y la lá-
mina frente a la portada fueron rea-
lizadas según los originales de

HECTOR BASALDUA

Primera Edición
Agosto de 1969

Segunda Impresión
Noviembre de 1969

Sin proponérmelo al principio, he consagrado mi ya larga vida a las letras, a la cátedra, al ocio, a las tranquilas aventuras del diálogo, a la filología, que ignoro, al misterioso hábito de Buenos Aires y a las perplejidades que no sin alguna soberbia se llaman metafísica. Tampoco le ha faltado a mi vida la amistad de unos pocos, que es la que importa. Creo no tener un solo enemigo o, si los hubo, nunca me lo hicieron saber. La verdad es que nadie puede herirnos, salvo la gente que queremos. Ahora, a los setenta años de mi edad (la frase es de Whitman), doy a la prensa este quinto libro de versos.

Carlos Frías me ha sugerido que aproveche su prólogo para una declaración de mi estética. Mi pobreza, mi voluntad, se oponen a ese consejo. No soy poseedor de una estética. El tiempo me ha enseñado algunas astucias: eludir los sinónimos, que tienen la desventaja de sugerir diferencias imaginarias; eludir hispanismos, argentinismos, arcaismos y neologismos; preferir las palabras habituales a las palabras asombrosas; intercalar en un relato rasgos circunstanciales, exigidos ahora por el lector; simular pequeñas incertidumbres, ya que si la realidad es precisa la memoria no lo es; narrar los hechos (esto lo aprendí en Kipling y en las sagas de Islandia) como si no los entendiera del todo; recordar que las normas anteriores no son obligaciones y que el tiempo se encargará de abolirlas. Tales astucias o hábitos no configuran ciertamente una estética. Por lo demás, descreo de las estéticas. En general no pasan de ser abstracciones inútiles; varían para cada escritor y aún para cada texto y no pueden ser otra cosa que estímulos o instrumentos ocasionales.

Éste, escribí, es mi quinto libro de versos. Es razonable presumir que no será mejor o peor que los otros. A los espejos, laberintos y espadas que ya prevé mi resignado lector se han agregado dos temas nuevos: la vejez y la ética. Ésta, según se sabe, nunca dejó de preocupar a cierto amigo muy querido que la literatura me ha dado, a Robert Louis Stevenson. Una de las virtudes por las cuales prefiero las naciones protestantes a las de tradición católica es su cuidado de la ética. Milton quería educar a los niños de su academia en el conocimiento de la física, de las matemáticas, de la astronomía y de las ciencias naturales; el doctor Johnson observaría al promediar el siglo XVIII: "La prudencia y la justicia son preeminencias y virtudes que corresponden a todas las épocas y a todos los lugares; somos perpetuamente moralistas y sólo a veces geómetras."

En estas páginas conviven, creo que sin discordia, las formas de la prosa y del verso. Podría invocar antecedentes ilustres —el De consolatione de Boecio, los cuentos de Chaucer, el Libro de las Mil y Una Noches; prefiero declarar que esas divergencias me parecen accidentales y que desearía que este libro fuera leído como un libro de versos. Un volumen, en sí, no es un hecho estético, es un objeto físico entre otros; el hecho estético sólo puede ocurrir cuando lo escriben o lo leen. Es común afirmar que el verso libre no es otra cosa que un simulacro tipográfico; pienso que en esa afirmación acecha un error. Más allá de su ritmo, la forma tipográfica del versículo sirve para anunciar al lector que la emoción poética, no la información o el razonamiento, es lo que está esperándolo. Yo anhelé alguna vez la vasta respiración de los psalmos [1] o de Walt Whitman; al cabo de los años compruebo, no sin melancolía, que me he limitado a alternar algunos metros clásicos: el alejandrino, el endecasílabo, el eptasílabo.

En alguna milonga he intentado imitar, respetuosamente, el florido coraje de Ascasubi y de las coplas de los barrios.

La poesía no es menos misteriosa que los otros elementos del orbe. Tal o cual verso afortunado no puede envanecernos, porque es don del Azar o del Espíritu; sólo los errores son nuestros. Espero que el lector descubra en mis páginas algo que pueda merecer su memoria; en este mundo la belleza es común.

J. L. B.

Buenos Aires, 24 de junio de 1969

---

[1] Deliberadamente escribo psalmos. Los individuos de la Real Academia Española quieren imponer a este continente sus incapacidades fonéticas; nos aconsejan el empleo de formas rústicas: neuma, sicología, síquico. Últimamente se les ha ocurrido escribir vikingo por viking. Sospecho que muy pronto oiremos hablar de la obra de Kiplingo.

JUAN, I, 14

No será menos un enigma esta hoja
que las de Mis libros sagrados
ni aquellas otras que repiten
las bocas ignorantes,
creyéndolas de un hombre, no espejos
oscuros del Espíritu.
Yo que soy el Es, el Fue y el Será,
vuelvo a condescender al lenguaje,
que es tiempo sucesivo y emblema.
Quien juega con un niño juega con algo
cercano y misterioso;
yo quise jugar con Mis hijos.
Estuve entre ellos con asombro y ternura.
Por obra de una magia
nací curiosamente de un vientre.
Viví hechizado, encarcelado en un cuerpo
y en la humildad de un alma.
Conocí la memoria,
esa moneda que no es nunca la misma.
Conocí la esperanza y el temor,
esos dos rostros del incierto futuro.
Conocí la vigilia, el sueño, los sueños,
la ignorancia, la carne,
los torpes laberintos de la razón,
la amistad de los hombres,

la misteriosa devoción de los perros.
Fui amado, comprendido, alabado y pendí de una cruz.
Bebí la copa hasta las heces.
Vi por Mis ojos lo que nunca había visto:
la noche y sus estrellas.
Conocí lo pulido, lo arenoso, lo desparejo, lo áspero,
el sabor de la miel y de la manzana,
el agua en la garganta de la sed,
el peso de un metal en la palma,
la voz humana, el rumor de unos pasos sobre la hierba,
el olor de la lluvia en Galilea,
el alto grito de los pájaros.
Conocí también la amargura.
He encomendado esta escritura a un hombre cualquiera;
no será nunca lo que quiero decir,
no dejará de ser su reflejo.
Desde Mi eternidad caen estos signos.
Que otro, no el que es ahora su amanuense, escriba el poema.
Mañana seré un tigre entre los tigres
y predicaré Mi ley a su selva,
o un gran árbol en Asia.
A veces pienso con nostalgia
en el olor de esa carpintería.

HERACLITO

El segundo crepúsculo.
La noche que se ahonda en el sueño.
La purificación y el olvido.
El primer crepúsculo.
La mañana que ha sido el alba.
El día que fue la mañana.
El día numeroso que será la tarde gastada.
El segundo crepúsculo.
Ese otro hábito del tiempo, la noche.
La purificación y el olvido.
El primer crepúsculo...
El alba sigilosa y en el alba
la zozobra del griego.
¿Qué trama es ésta
del será, del es y del fue?
¿Qué río es éste
por el cual corre el Ganges?
¿Qué río es éste cuya fuente es inconcebible?
¿Qué río es éste
que arrastra mitologías y espadas?
Es inútil que duerma.
Corre en el sueño, en el desierto, en un sótano.
El río me arrebata y soy ese río.
De una materia deleznable fui hecho, de misterioso tiempo.
Acaso el manantial está en mí.
Acaso de mi sombra
surgen, fatales e ilusorios, los días.

CAMBRIDGE

Nueva Inglaterra y la mañana.
Doblo por Craigie.
Pienso (ya lo he pensado)
que el nombre Craigie es escocés
y que la palabra crag es de origen celta.
Pienso (ya lo he pensado)
que en este invierno están los antiguos inviernos
de quienes dejaron escrito
que el camino está prefijado
y que ya somos del Amor o del Fuego.
La nieve y la mañana y los muros rojos
pueden ser formas de la dicha,
pero yo vengo de otras ciudades
donde los colores son pálidos
y en las que una mujer, al caer la tarde,
regará las plantas del patio.
Alzo los ojos y los pierdo en el ubicuo azul.
Más allá están los árboles de Longfellow
y el dormido río incesante.
Nadie en las calles, pero no es un domingo.
No es un lunes,
el día que nos depara la ilusión de empezar.
No es un martes,
el día que preside el planeta rojo.
No es un miércoles,

el día de aquel dios de los laberintos
que en el Norte fue Odín.
No es un jueves,
el día que ya se resigna al domingo.
No es un viernes,
el día regido por la divinidad que en las selvas
entreteje los cuerpos de los amantes.
No es un sábado.
No está en el tiempo sucesivo
sino en los reinos espectrales de la memoria.
Como en los sueños,
detrás de las altas puertas no hay nada,
ni siquiera el vacío.
Como en los sueños,
detrás del rostro que nos mira no hay nadie.
Anverso sin reverso,
moneda de una sola cara, las cosas.
Esas miserias son los bienes
que el precipitado tiempo nos deja.
Somos nuestra memoria,
somos ese quimérico museo de formas inconstantes,
ese montón de espejos rotos.

ELSA

NOCHES DE LARGO insomnio y de castigo
Que anhelaban el alba y la temían,
Días de aquel ayer que repetían
Otro inútil ayer. Hoy los bendigo.
¿Cómo iba a presentir en esos años
De soledad de amor, que las atroces
Fábulas de la fiebre y las feroces
Auroras no eran más que los peldaños
Torpes y las errantes galerías
Que me conducirían a la pura
Cumbre de azul que en el azul perdura
De esta tarde de un día y de mis días?
Elsa, en mi mano está tu mano. Vemos
En el aire la nieve y la queremos.

Cambridge, 1967

NEW ENGLAND, 1967

Han cambiado las formas de mi sueño;
ahora son laterales casas rojas
y el delicado bronce de las hojas
y el casto invierno y el piadoso leño.
Como en el día séptimo, la tierra
es buena. En los crepúsculos persiste
algo que casi no es, osado y triste,
un antiguo rumor de Biblia y guerra.
Pronto (nos dicen) llegará la nieve
y América me espera en cada esquina,
pero siento en la tarde que declina
el hoy tan lento y el ayer tan breve.
Buenos Aires, yo sigo caminando
por tus esquinas, sin por qué ni cuándo.

Cambridge, 1967

JAMES JOYCE

En un día del hombre están los días
del tiempo, desde aquel inconcebible
día inicial del tiempo, en que un terrible
Dios prefijó los días y agonías
hasta aquel otro en que el ubicuo río
del tiempo terrenal torne a su fuente,
que es lo Eterno, y se apague en el presente,
el futuro, el ayer, lo que ahora es mío.
Entre el alba y la noche está la historia
universal. Desde la noche veo
a mis pies los caminos del hebreo,
Cartago aniquilada, Infierno y Gloria.
Dame, Señor, coraje y alegría
para escalar la cumbre de este día.

Cambridge, 1968

THE UNENDING GIFT

Un pintor nos prometió un cuadro.

Ahora, en New England, sé que ha muerto. Sentí, como otras veces, la tristeza de comprender que somos como un sueño. Pensé en el hombre y en el cuadro perdidos.

(Sólo los dioses pueden prometer, porque son inmortales.)

Pensé en un lugar prefijado que la tela no ocupará.

Pensé después: si estuviera ahí, sería con el tiempo una cosa más, una cosa, una de las vanidades o hábitos de la casa; ahora es ilimitada, incesante, capaz de cualquier forma y cualquier color y no atada a ninguno.

Existe de algún modo. Vivirá y crecerá como una música y estará conmigo hasta el fin. Gracias, Jorge Larco.

(También los hombres pueden prometer, porque en la promesa hay algo inmortal.)

EL LABERINTO

ZEUS NO PODRÍA desatar las redes
de piedra que me cercan. He olvidado
los hombres que antes fui; sigo el odiado
camino de monótonas paredes
que es mi destino. Rectas galerías
que se curvan en círculos secretos
al cabo de los años. Parapetos
que ha agrietado la usura de los días.
En el pálido polvo he descifrado
rastros que temo. El aire me ha traído
en las cóncavas tardes un bramido
o el eco de un bramido desolado.
Sé que en la sombra hay Otro, cuya suerte
es fatigar las largas soledades
que tejen y destejen este Hades
y ansiar mi sangre y devorar mi muerte.
Nos buscamos los dos. Ojalá fuera
éste el último día de la espera.

LABERINTO

No habrá nunca una puerta. Estás adentro
Y el alcázar abarca el universo
Y no tiene ni anverso ni reverso
Ni externo muro ni secreto centro.
No esperes que el rigor de tu camino
Que tercamente se bifurca en otro,
Que tercamente se bifurca en otro,
Tendrá fin. Es de hierro tu destino
Como tu juez. No aguardes la embestida
Del toro que es un hombre y cuya extraña
Forma plural da horror a la maraña
De interminable piedra entretejida.
No existe. Nada esperes. Ni siquiera
En el negro crepúsculo la fiera.

MAYO 20, 1928

Ahora es invulnerable como los dioses.
Nada en la tierra puede herirlo, ni el desamor de una mujer, ni la tisis, ni las ansiedades del verso, ni esa cosa blanca, la luna, que ya no tiene que fijar en palabras.
Camina lentamente bajo los tilos; mira las balaustradas y las puertas, no para recordarlas.
Ya sabe cuantas noches y cuantas mañanas le faltan.
Su voluntad le ha impuesto una disciplina precisa. Hará determinados actos, cruzará previstas esquinas, tocará un árbol o una reja, para que el porvenir sea tan irrevocable como el pasado.
Obra de esa manera para que el hecho que desea y que teme no sea otra cosa que el término final de una serie.
Camina por la calle 49; piensa que nunca atravesará tal o cual zaguán lateral.
Sin que lo sospecharan, se ha despedido ya de muchos amigos.
Piensa lo que nunca sabrá, si el día siguiente será un día de lluvia.
Se cruza con un conocido y le hace una broma. Sabe que este episodio será, durante algún tiempo, una anécdota.
Ahora es invulnerable como los muertos.
En la hora fijada, subirá por unos escalones de mármol. (Esto perdurará en la memoria de otros.)
Bajará al lavatorio; en el piso ajedrezado el agua borrará muy pronto la sangre. El espejo lo aguarda.
Se alisará el pelo, se ajustará el nudo de la corbata (siempre fue

51

un poco dandy, como cuadra a un joven poeta) y tratará
de imaginar que el otro, el del cristal, ejecuta los actos
y que él, su doble, los repite. La mano no le temblará
cuando ocurra el último. Dócilmente, mágicamente,
ya habrá apoyado el arma contra la sien.

Así, lo creo, sucedieron las cosas.

RICARDO GÜIRALDES

Nadie podrá olvidar su cortesía;
Era la no buscada, la primera
Forma de su bondad, la verdadera
Cifra de un alma clara como el día.
No he de olvidar tampoco la bizarra
Serenidad, el fino rostro fuerte,
Las luces de la gloria y de la muerte,
La mano interrogando la guitarra.
Como en el puro sueño de un espejo
(Tú eres la realidad, yo su reflejo)
Te veo conversando con nosotros
En Quintana. Ahí estás, mágico y muerto.
Tuyo, Ricardo, ahora es el abierto
Campo de ayer, el alba de los potros.

EL ETNOGRAFO

El caso me lo refirieron en Texas, pero había acontecido en otro estado. Cuenta con un solo protagonista, salvo que en toda historia los protagonistas son miles, visibles e invisibles, vivos y muertos. Se llamaba, creo, Fred Murdock. Era alto a la manera americana, ni rubio ni moreno, de perfil de hacha, de muy pocas palabras. Nada singular había en él, ni siquiera esa fingida singularidad que es propia de los jóvenes. Naturalmente respetuoso, no descreía de los libros ni de quienes escriben los libros. Era suya esa edad en que el hombre no sabe aún quién es y está listo a entregarse a lo que le propone el azar: la mística del persa o el desconocido origen del húngaro, las aventuras de la guerra o del álgebra, el puritanismo o la orgía. En la universidad le aconsejaron el estudio de las lenguas indígenas. Hay ritos esotéricos que perduran en ciertas tribus del oeste; su profesor, un hombre entrado en años, le propuso que hiciera su habitación en una toldería, que observara los ritos y que descubriera el secreto que los brujos revelan al iniciado. A su vuelta, redactaría una tesis que las autoridades del instituto darían a la imprenta. Murdock aceptó con alacridad. Uno de sus mayores había muerto en las guerras de la frontera; esa antigua discordia de sus estirpes era un vínculo ahora. Previó, sin duda, las dificultades que lo aguardaban; tenía que lograr que los hombres rojos lo aceptaran como uno de los suyos. Emprendió la larga aventura. Más de dos años habitó en la pradera, bajo toldos de cuero o a la intemperie. Se levantaba antes del alba, se acostaba al anochecer, llegó a soñar en un idioma que no era el de sus padres. Acostumbró su paladar a sabores ásperos, se cubrió con ropas extrañas, olvidó los amigos y la ciudad, llegó a pensar de una manera que su lógica rechazaba. Durante los primeros meses de aprendizaje tomaba notas sigilosas, que rompería después, acaso para no despertar la suspicacia de los otros, acaso porque ya no las precisaba. Al término de un plazo prefijado por ciertos ejercicios, de índole moral y de índole física, el sacerdote le ordenó que fuera recordando sus sueños y que se los confiara al clarear el día. Comprobó que en las noches de luna llena soñaba con bisontes. Confió estos sueños repetidos a su maestro; éste acabó por revelarle su doctrina secreta. Una mañana, sin haberse despedido de nadie, Murdock se fue.

En la ciudad, sintió la nostalgia de aquellas tardes iniciales de la pradera en que había sentido, hace tiempo, la nostalgia de la ciudad. Se encaminó al despacho del profesor y le dijo que sabía el secreto y que había resuelto no publicarlo.

—¿Lo ata su juramento? —preguntó el otro.

—No es ésa mi razón —dijo Murdock—. En esas lejanías aprendí algo que no puedo decir.

—¿Acaso el idioma inglés es insuficiente? —observaría el otro.

—Nada de eso, señor. Ahora que poseo el secreto, podría enunciarlo de cien modos distintos y aun contradictorios. No sé muy bien cómo decirle que el secreto es precioso y que ahora la ciencia, nuestra ciencia, me parece una mera frivolidad.

Agregó al cabo de una pausa:

—El secreto, por lo demás, no vale lo que valen los caminos que me condujeron a él. Esos caminos hay que andarlos.

El profesor le dijo con frialdad:

—Comunicaré su decisión al Concejo. ¿Usted piensa vivir entre los indios?

60

Murdock le contestó:

—No. Tal vez no vuelva a la pradera. Lo que me enseñaron sus hombres vale para cualquier lugar y para cualquier circunstancia.

Tal fue, en esencia, el diálogo.

Fred se casó, se divorció y es ahora uno de los bibliotecarios de Yale.

A CIERTA SOMBRA, 1940

QUE NO PROFANEN tu sagrado suelo, Inglaterra,
El jabalí alemán y la hiena italiana.
Isla de Shakespeare, que tus hijos te salven
Y también tus sombras gloriosas.
En esta margen ulterior de los mares
Las invoco y acuden
Desde el innumerable pasado,
Con altas mitras y coronas de hierro,
Con Biblias, con espadas, con remos,
Con anclas y con arcos.
Se ciernen sobre mí en la alta noche
Propicia a la retórica y a la magia
Y busco la más tenue, la deleznable,
Y le advierto: oh, amigo,
El continente hostil se apresta con armas
A invadir tu Inglaterra,
Como en los días que sufriste y cantaste.
Por el mar, por la tierra y por el aire convergen los ejércitos.
Vuelve a soñar, De Quincey.
Teje para baluarte de tu isla
Redes de pesadillas.
Que por sus laberintos de tiempo
Erren sin fin los que odian.
Que su noche se mida por centurias, por eras, por pirámides,
Que las armas sean polvo, polvo las caras,

Que nos salven ahora las indescifrables arquitecturas
Que dieron horror a tu sueño.
Hermano de la noche, bebedor de opio,
Padre de sinuosos períodos que ya son laberintos y torres,
Padre de las palabras que no se olvidan,
¿Me oyes, amigo no mirado, me oyes
A través de esas cosas insondables
Que son los mares y la muerte?

LAS COSAS

El BASTÓN, las monedas, el llavero,
La dócil cerradura, las tardías
Notas que no leerán los pocos días
Que me quedan, los naipes y el tablero,
Un libro y en sus páginas la ajada
Violeta, monumento de una tarde
Sin duda inolvidable y ya olvidada,
El rojo espejo occidental en que arde
Una ilusoria aurora. ¡Cuántas cosas,
Limas, umbrales, atlas, copas, clavos,
Nos sirven como tácitos esclavos,
Ciegas y extrañamente sigilosas!
Durarán más allá de nuestro olvido;
No sabrán nunca que nos hemos ido.

RUBAIYAT

Torne en mi voz la métrica del persa
A recordar que el tiempo es la diversa
Trama de sueños ávidos que somos
Y que el secreto Soñador dispersa.

Torne a afirmar que el fuego es la ceniza,
La carne el polvo, el río la huidiza
Imagen de tu vida y de mi vida
Que lentamente se nos va de prisa.

Torne a afirmar que el arduo monumento
Que erige la soberbia es como el viento
Que pasa, y que a la luz inconcebible
De Quien perdura, un siglo es un momento.

Torne a advertir que el ruiseñor de oro
Canta una sola vez en el sonoro
Ápice de la noche y que los astros
Avaros no prodigan su tesoro.

Torne la luna al verso que tu mano
Escribe como torna en el temprano
Azul a tu jardín. La misma luna
De ese jardín te ha de buscar en vano.

Sean bajo la luna de las tiernas
Tardes tu humilde ejemplo las cisternas,
En cuyo espejo de agua se repiten
Una pocas imágenes eternas.

Que la luna del persa y los inciertos
Oros de los crepúsculos desiertos
Vuelvan. Hoy es ayer. Eres los otros
Cuyo rostro es el polvo. Eres los muertos.

PEDRO SALVADORES

A Juan Murchison

QUIERO DEJAR escrito, acaso por primera vez, uno de los hechos más raros y más tristes de nuestra historia. Intervenir lo menos posible en su narración, prescindir de adiciones pintorescas y de conjeturas aventuradas es, me parece, la mejor manera de hacerlo.

Un hombre, una mujer y la vasta sombra de un dictador son los tres personajes. El hombre se llamó Pedro Salvadores; mi abuelo Acevedo lo vio, días o semanas después de la batalla de Caseros. Pedro Salvadores, tal vez, no difería del común de la gente, pero su destino y los años lo hicieron único. Sería un señor como tantos otros de su época. Poseería (nos cabe suponer) un establecimiento de campo y era unitario. El apellido de su mujer era Planes; los dos vivían en la calle Suipacha, no lejos de la esquina del Temple. La casa en que los hechos ocurrieron sería igual a las otras: la puerta de calle, el zaguán, la puerta cancel, las habitaciones, la hondura de los patios. Una noche, hacia 1842, oyeron el creciente y sordo rumor de los cascos de los caballos en la calle de tierra y los vivas y mueras de los jinetes. La mazorca, esta vez, no pasó de largo. Al griterío sucedieron los repetidos golpes; mientras los hombres derribaban la puerta, Salvadores pudo correr la mesa del comedor, alzar la alfombra y ocultarse en el sótano. La mujer puso la mesa en su lugar. La mazorca irrumpió; venían a llevárselo a Salvadores. La mujer declaró que

77

éste había huído a Montevideo. No le creyeron; la azotaron, rompieron toda la vajilla celeste, registraron la casa, pero no se les ocurrió levantar la alfombra. A la medianoche se fueron, no sin haber jurado volver.

Aquí principia verdaderamente la historia de Pedro Salvadores. Vivió nueve años en el sótano. Por más que nos digamos que los años están hechos de días y los días de horas y que nueve años es un término abstracto y una suma imposible, esa historia es atroz. Sospecho que en la sombra que sus ojos aprendieron a descifrar, no pensaba en nada, ni siquiera en su odio ni en su peligro. Estaba ahí, en el sótano. Algunos ecos de aquel mundo que le estaba vedado le llegarían desde arriba: los pasos habituales de su mujer, el golpe del brocal y del balde, la pesada lluvia en el patio. Cada día, por lo demás, podía ser el último.

La mujer fue despidiendo a la servidumbre, que era capaz de delatarlos. Dijo a todos los suyos que Salvadores estaba en la Banda Oriental. Ganó el pan de los dos cosiendo para el ejército. En el decurso de los años tuvo dos hijos; la familia la repudió, atribuyéndolos a un amante. Después de la caída del tirano, le pedirían perdón de rodillas.

¿Qué fue, quién fue, Pedro Salvadores? ¿Lo encarcelaron el terror, el amor, la invisible presencia de Buenos Aires y, finalmente, la costumbre? Para que no la dejara sola, su mujer le daría inciertas noticias de conspiraciones y de victorias. Acaso era cobarde y la mujer lealmente le ocultó que ella lo sabía. Lo imagino en su sótano, tal vez sin un candil, sin un libro. La sombra lo hundiría en el sueño. Soñaría, al principio, con la noche tremenda en que el acero buscaba la garganta, con las calles abiertas, con la llanura. Al cabo de los años no podría huir y soñaría con el sótano. Sería, al principio, un acosado, un amenazado; después no lo sabremos nunca, un animal tranquilo en su madriguera o una especie de oscura divinidad.

Todo esto hasta aquel día del verano de 1852 en que Rosas huyó. Fue entonces cuando el hombre secreto salió a la luz del día; mi abuelo habló con él. Fofo y obeso, estaba del color de la cera y no hablaba en voz alta. Nunca le devolvieron los campos que le habían sido confiscados; creo que murió en la miseria.

Como todas las cosas, el destino de Pedro Salvadores nos parece un símbolo de algo que estamos a punto de comprender.

A ISRAEL

¿Quién me dirá si estás en el perdido
Laberinto de ríos seculares
De mi sangre, Israel? ¿Quién los lugares
Que mi sangre y tu sangre han recorrido?
No importa. Sé que estás en el sagrado
Libro que abarca el tiempo y que la historia
Del rojo Adán rescata y la memoria
Y la agonía del Crucificado.
En ese libro estás, que es el espejo
De cada rostro que sobre él se inclina
Y del rostro de Dios, que en su complejo
Y arduo cristal, terrible se adivina.
Salve, Israel, que guardas la muralla
De Dios, en la pasión de tu batalla.

ISRAEL

Un hombre encarcelado y hechizado,
un hombre condenado a ser la serpiente
que guarda un oro infame,
un hombre condenado a ser Shylock,
un hombre que se inclina sobre la tierra
y que sabe que estuvo en el Paraíso,
un hombre viejo y ciego que ha de romper
las columnas del templo,
un rostro condenado a ser una máscara,
un hombre que a pesar de los hombres
es Spinoza y el Baal Shem y los cabalistas,
un hombre que es el Libro,
una boca que alaba desde el abismo
la justicia del firmamento,
un procurador o un dentista
que dialogó con Dios en una montaña,
un hombre condenado a ser el escarnio,
la abominación, el judío,
un hombre lapidado, incendiado
y ahogado en cámaras letales,
un hombre que se obstina en ser inmortal
y que ahora ha vuelto a su batalla,
a la violenta luz de la victoria,
hermoso como un león al mediodía.

JUNIO, 1968

En la tarde de oro
o en una serenidad cuyo símbolo
podría ser la tarde de oro,
el hombre dispone los libros
en los anaqueles que aguardan
y siente el pergamino, el cuero, la tela
y el agrado que dan
la previsión de un hábito
y el establecimiento de un orden.
Stevenson y el otro escocés, Andrew Lang,
reanudarán aquí, de manera mágica,
la lenta discusión que interrumpieron
los mares y la muerte
y a Reyes no le desagradará ciertamente
la cercanía de Virgilio.
(Ordenar bibliotecas es ejercer,
de un modo silencioso y modesto,
el arte de la crítica.)
El hombre, que está ciego,
sabe que ya no podrá descifrar
los hermosos volúmenes que maneja
y que no le ayudarán a escribir
el libro que lo justificará ante los otros,
pero en la tarde que es acaso de oro
sonríe ante el curioso destino
y siente esa felicidad peculiar
de las viejas cosas queridas.

EL GUARDIAN DE LOS LIBROS

Aʜɪ ᴇꜱᴛᴀ́ɴ los jardines, los templos y la justificación de los
    templos,
La recta música y las rectas palabras,
Los sesenta y cuatro hexagramas,
Los ritos que son la única sabiduría
Que otorga el Firmamento a los hombres,
El decoro de aquel emperador
Cuya serenidad fue reflejada por el mundo, su espejo,
De suerte que los campos daban sus frutos
Y los torrentes respetaban sus márgenes,
El unicornio herido que regresa para marcar el fin,
Las secretas leyes eternas,
El concierto del orbe;
Esas cosas o su memoria están en los libros
Que custodio en la torre.

Los tártaros vinieron del Norte
En crinados potros pequeños;
Aniquilaron los ejércitos
Que el Hijo del Cielo mandó para castigar su impiedad,
Erigieron pirámides de fuego y cortaron gargantas,
Mataron al perverso y al justo,
Mataron al esclavo encadenado que vigila la puerta,
Usaron y olvidaron a las mujeres
Y siguieron al Sur,

95

Inocentes como animales de presa,
Crueles como cuchillos.
En el alba dudosa
El padre de mi padre salvó los libros.
Aquí están en la torre donde yazgo,
Recordando los días que fueron de otros,
Los ajenos y antiguos.

En mis ojos no hay días. Los anaqueles
Están muy altos y no los alcanzan mis años.
Leguas de polvo y sueño cercan la torre.
¿A qué engañarme?
La verdad es que nunca he sabido leer,
Pero me consuelo pensando
Que lo imaginado y lo pasado ya son lo mismo
Para un hombre que ha sido
Y que contempla lo que fue la ciudad
Y ahora vuelve a ser el desierto.
¿Qué me impide soñar que alguna vez
Descifré la sabiduría
Y dibujé con aplicada mano los símbolos?
Mi nombre es Hsiang. Soy el que custodia los libros,
Que acaso son los últimos,
Porque nada sabemos del Imperio
Y del Hijo del Cielo.
Ahí están en los altos anaqueles,
Cercanos y lejanos a un tiempo,
Secretos y visibles como los astros.
Ahí están los jardines, los templos.

LOS GAUCHOS

Quién les hubiera dicho que sus mayores vinieron por un mar,
quién les hubiera dicho lo que son un mar y sus aguas.

Mestizos de la sangre del hombre blanco, lo tuvieron en poco,
mestizos de la sangre del hombre rojo, fueron sus enemigos.

Muchos no habrán oído jamás la palabra gaucho, o la habrán
oído como una injuria.

Aprendieron los caminos de las estrellas, los hábitos del aire y del
pájaro, las profecías de las nubes del Sur y de la luna con
un cerco.

Fueron pastores de la hacienda brava, firmes en el caballo del
desierto que habían domado esa mañana, enlazadores,
marcadores, troperos, hombres de la partida policial, alguna
vez matreros; alguno, el escuchado, fue el payador.

Cantaba sin premura, porque el alba tarda en clarear, y no alzaba
la voz.

Había peones tigreros; amparado en el poncho el brazo izquierdo,
el derecho sumía el cuchillo en el vientre del animal,
abalanzado y alto.

El diálogo pausado, el mate y el naipe fueron las formas de
su tiempo.

A diferencia de otros campesinos, eran capaces de ironía.

Eran sufridos, castos y pobres. La hospitalidad fue su fiesta.

Alguna noche los perdió el pendenciero alcohol de los sábados.

Morían y mataban con inocencia.

99

No eran devotos, fuera de alguna oscura superstición, pero la
   dura vida les enseñó el culto del coraje.
Hombres de la ciudad les fabricaron un dialecto y una poesía
   de metáforas rústicas.
Ciertamente no fueron aventureros, pero un arreo los llevaba muy
   lejos y más lejos las guerras.
No dieron a la historia un solo caudillo. Fueron hombres de
   López, de Ramírez, de Artigas, de Quiroga, de Bustos,
   de Pedro Campbell, de Rosas, de Urquiza, de aquel Ricardo
   López Jordán que hizo matar a Urquiza, de Peñaloza y de
   Saravia.
No murieron por esa cosa abstracta, la patria, sino por un patrón
   casual, una ira o por la invitación de un peligro.
Su ceniza mortal está perdida en remotas regiones del continente,
   en repúblicas de cuya historia nada supieron, en campos de
   batalla hoy famosos.
Hilario Ascasubi los vio cantando y combatiendo.
Vivieron su destino como en un sueño, sin saber quiénes eran
   o qué eran.
Tal vez lo mismo nos ocurre a nosotros.

ACEVEDO

CAMPOS DE MIS ABUELOS y que guardan
Todavía su nombre de Acevedo,
Indefinidos campos que no puedo
Del todo imaginar. Mis años tardan
Y no he mirado aún esas cansadas
Leguas de polvo y patria que mis muertos
Vieron desde el caballo, esos abiertos
Caminos, sus ocasos y alboradas.
La llanura es ubicua. Los he visto
En Iowa, en el Sur, en tierra hebrea,
En aquel saucedal de Galilea
Que hollaron los humanos pies de Cristo.
No los perdí. Son míos. Los poseo
En el olvido, en un casual deseo.

MILONGA DE MANUEL FLORES

Manuel Flores va a morir.
Eso es moneda corriente;
Morir es una costumbre
Que sabe tener la gente.

Mañana vendrá la bala
Y con la bala el olvido;
Lo dijo el sabio Merlin:
Morir es haber nacido.

Y sin embargo me duele
Decirle adiós a la vida,
Esa cosa tan de siempre,
Tan dulce y tan conocida.

Miro en el alba mis manos,
Miro en las manos las venas;
Con extrañeza las miro
Como si fueran ajenas.

¡Cuánta cosa en su camino
Estos ojos habrán visto!
Quién sabe lo que verán
Después que me juzgue Cristo.

Manuel Flores va a morir.
Eso es moneda corriente;
Morir es una costumbre
Que sabe tener la gente.

MILONGA DE CALANDRIA

A ORILLAS del Uruguay
Me acuerdo de aquel matrero
Que lo atravesó, prendido
De la cola de su overo.

Servando Cardoso el nombre
Y Ño Calandria el apodo;
No lo sabrán olvidar
Los años, que olvidan todo.

No era un científico de esos
Que usan arma de gatillo;
Era su gusto jugarse
En el baile del cuchillo.

Fija la vista en los ojos,
Era capaz de parar
El hachazo más artero.
¡Feliz quien lo vio pelear!

No tan felices aquellos
Cuyo recuerdo postrero
Fue la brusca arremetida
Y la entrada del acero.

Siempre la selva y el duelo,
Pecho a pecho y cara a cara.
Vivió matando y huyendo.
Vivió como si soñara.

Se cuenta que una mujer
Fue y lo entregó a la partida;
A todos, tarde o temprano,
Nos va entregando la vida.

INVOCACION A JOYCE

Dispersos en dispersas capitales,
solitarios y muchos,
jugábamos a ser el primer Adán
que dio nombre a las cosas.
Por los vastos declives de la noche
que lindan con la aurora,
buscamos (lo recuerdo aún) las palabras
de la luna, de la muerte, de la mañana
y de los otros hábitos del hombre.
Fuimos el imagismo, el cubismo,
los conventículos y sectas
que las crédulas universidades veneran.
Inventamos la falta de puntuación,
la omisión de mayúsculas,
las estrofas en forma de paloma
de los bibliotecarios de Alejandría.
Ceniza, la labor de nuestras manos
y un fuego ardiente nuestra fe.
Tú, mientras tanto,
en las ciudades del destierro,
en aquel destierro que fue
tu aborrecido y elegido instrumento,
el arma de tu arte,
erigías tus arduos laberintos,
infinitesimales e infinitos,

admirablemente mezquinos,
más populosos que la historia.
Habremos muerto sin haber divisado
la biforme fiera o la rosa
que son el centro de tu dédalo,
pero la memoria tiene sus talismanes,
sus ecos de Virgilio,
y así en las calles de la noche perduran
tus infiernos espléndidos,
tantas cadencias y metáforas tuyas,
los oros de tu sombra.
Qué importa nuestra cobardía si hay en la tierra
un solo hombre valiente,
qué importa la tristeza si hubo en el tiempo
alguien que se dijo feliz,
qué importa mi perdida generación,
ese vago espejo,
si tus libros la justifican.
Yo soy los otros. Yo soy todos aquellos
que ha rescatado tu obstinado rigor.
Soy los que no conoces y los que salvas.

ISRAEL, 1969

Temí que en Israel acecharía
con dulzura insidiosa
la nostalgia que las diásporas seculares
acumularon como un triste tesoro
en las ciudades del infiel, en las juderías,
en los ocasos de la estepa, en los sueños,
la nostalgia de aquellos que te anhelaron,
Jerusalén, junto a las aguas de Babilonia.
¿Qué otra cosa eras, Israel, sino esa nostalgia,
sino esa voluntad de salvar,
entre las inconstantes formas del tiempo,
tu viejo libro mágico, tus liturgias,
tu soledad con Dios?
No así. La más antigua de las naciones
es también la más joven.
No has tentado a los hombres con jardines,
con el oro y su tedio
sino con el rigor, tierra última.
Israel les ha dicho sin palabras:
olvidarás quién eres.
Olvidarás al otro que dejaste.
Olvidarás quién fuiste en las tierras
que te dieron sus tardes y sus mañanas
y a las que no darás tu nostalgia.

Olvidarás la lengua de tus padres y aprenderás la lengua del
   Paraíso.
Serás un israelí, serás un soldado.
Edificarás la patria con ciénagas; la levantarás con desiertos.
Trabajará contigo tu hermano, cuya cara no has visto nunca.
Una sola cosa te prometemos:
tu suerte en la batalla.

DOS VERSIONES DE
"RITTER, TOD UND TEUFEL"

I

Bajo el yelmo quimérico el severo
Perfil es cruel como la cruel espada
Que aguarda. Por la selva despojada
Cabalga imperturbable el caballero.
Torpe y furtiva, la caterva obscena
Lo ha cercado: el Demonio de serviles
Ojos, los laberínticos reptiles
Y el blanco anciano del reloj de arena.
Caballero de hierro, quien te mira
Sabe que en ti no mora la mentira
Ni el pálido temor. Tu dura suerte
Es mandar y ultrajar. Eres valiente
Y no serás indigno ciertamente,
Alemán, del Demonio y de la Muerte.

II

Los caminos son dos. El de aquel hombre
De hierro y de soberbia, y que cabalga,
Firme en su fe, por la dudosa selva
Del mundo, entre las befas y la danza
Inmóvil del Demonio y de la Muerte,
Y el otro, el breve, el mío. ¿En qué borrada
Noche o mañana antigua descubrieron
Mis ojos la fantástica epopeya,
El perdurable sueño de Durero,
El héroe y la caterva de sus sombras
Que me buscan, me acechan y me encuentran?
A mí, no al paladín, exhorta el blanco
Anciano coronado de sinuosas
Serpientes. La clepsidra sucesiva
Mide mi tiempo, no su eterno ahora.
Yo seré la ceniza y la tiniebla;
Yo, que partí después, habré alcanzado
Mi término mortal; tú, que no eres,
Tú, caballero de la recta espada
Y de la selva rígida, tu paso
Proseguirás mientras los hombres duren,
Imperturbable, imaginario, eterno.

124

BUENOS AIRES

¿Qué será Buenos Aires?

Es la Plaza de Mayo a la que volvieron, después de haber guerreado
en el continente, hombres cansados y felices.

Es el creciente laberinto de luces que divisamos desde el avión y
bajo el cual están la azotea, la vereda, el último patio,
las cosas quietas.

Es el paredón de la Recoleta contra el cual murió, ejecutado,
uno de mis mayores.

Es un gran árbol de la calle Junín que, sin saberlo, nos depara
sombra y frescura.

Es una larga calle de casas bajas, que pierde y transfigura
el poniente.

Es la Dársena Sur de la que zarpaban el Saturno y el Cosmos.

Es la vereda de Quintana en la que mi padre, que había estado
ciego, lloró, porque veía las antiguas estrellas.

Es una puerta numerada, detrás de la cual, en la oscuridad, pasé
diez días y diez noches, inmóvil, días y noches que son en
la memoria un instante.

Es el jinete de pesado metal que proyecta desde lo alto su serie
cíclica de sombras.

Es el mismo jinete bajo la lluvia.

Es una esquina de la calle Perú, en la que Julio César Dabove
nos dijo que el peor pecado que puede cometer un hombre
es engendrar un hijo y sentenciarlo a esta vida espantosa.

Es Elvira de Alvear, escribiendo en cuidadosos cuadernos una
larga novela, que al principio estaba hecha de palabras y al
fin de vagos rasgos indescifrables.

Es la mano de Norah, trazando el rostro de una amiga que es
también el de un ángel.

Es una espada que ha servido en las guerras y que es menos un
arma que una memoria.

Es una divisa descolorida o un daguerrotipo gastado, cosas que
son del tiempo.

Es el día en que dejamos a una mujer y el día en que una mujer
nos dejó.

Es aquel arco de la calle Bolívar desde el cual se divisa la
Biblioteca.

Es la habitación de la Biblioteca, en la que descubrimos, hacia
1957, la lengua de los ásperos sajones, la lengua del coraje
y de la tristeza.

Es la pieza contigua, en la que murió Paul Groussac.

Es el último espejo que repitió la cara de mi padre.

Es la cara de Cristo que vi en el polvo, deshecha a martillazos,
en una de las naves de la Piedad.

Es una alta casa del Sur en la que mi mujer y yo traducimos a
Whitman, cuyo gran eco ojalá reverbere en esta página.

Es Lugones, mirando por la ventanilla del tren las formas que se
pierden y pensando que ya no lo abruma el deber de
traducirlas para siempre en palabras, porque este viaje
será el último.

Es, en la deshabitada noche, cierta esquina del Once en la que
Macedonio Fernández, que ha muerto, sigue explicándome
que la muerte es una falacia.

No quiero proseguir; estas cosas son demasiado individuales, son
demasiado lo que son, para ser también Buenos Aires.

Buenos Aires es la otra calle, la que no pisé nunca, es el centro
secreto de las manzanas, los patios últimos, es lo que las

128

fachadas ocultan, es mi enemigo, si lo tengo, es la persona a quien le desagradan mis versos (a mí me desagradan también), es la modesta librería en que acaso entramos y que hemos olvidado, es esa racha de milonga silbada que no reconocemos y que nos toca, es lo que se ha perdido y lo que será, es lo ulterior, lo ajeno, lo lateral, el barrio que no es tuyo ni mío, lo que ignoramos y queremos.

FRAGMENTOS DE
UN EVANGELIO APOCRIFO

3. Desdichado el pobre en espíritu, porque bajo la tierra será lo que ahora es en la tierra.
4. Desdichado el que llora, porque ya tiene el hábito miserable del llanto.
5. Dichosos los que saben que el sufrimiento no es una corona de gloria.
6. No basta ser el último para ser alguna vez el primero.
7. Feliz el que no insiste en tener razón, porque nadie la tiene o todos la tienen.
8. Feliz el que perdona a los otros y el que se perdona a sí mismo.
9. Bienaventurados los mansos, porque no condescienden a la discordia.
10. Bienaventurados los que no tienen hambre de justicia, porque saben que nuestra suerte, adversa o piadosa, es obra del azar, que es inescrutable.
11. Bienaventurados los misericordiosos, porque su dicha está en el ejercicio de la misericordia y no en la esperanza de un premio.
12. Bienaventurados los de limpio corazón, porque ven a Dios.
13. Bienaventurados los que padecen persecución por causa de la justicia, porque les importa más la justicia que su destino humano.
14. Nadie es la sal de la tierra; nadie, en algún momento de su vida, no lo es.
15. Que la luz de una lámpara se encienda, aunque ningún hombre la vea. Dios la verá.

16. No hay mandamiento que no pueda ser infringido, y también los que digo y los que los profetas dijeron.

17. El que matare por la causa de la justicia, o por la causa que él cree justa, no tiene culpa.

18. Los actos de los hombres no merecen ni el fuego ni los cielos.

19. No odies a tu enemigo, porque si lo haces, eres de algún modo su esclavo. Tu odio nunca será mejor que tu paz.

20. Si te ofendiere tu mano derecha, perdónala; eres tu cuerpo y eres tu alma y es arduo, o imposible, fijar la frontera que los divide . . .

24. No exageres el culto de la verdad; no hay hombre que al cabo de un día, no haya mentido con razón muchas veces.

25. No jures, porque todo juramento es un énfasis.

26. Resiste al mal, pero sin asombro y sin ira. A quien te hiriere en la mejilla derecha, puedes volverle la otra, siempre que no te mueva el temor.

27. Yo no hablo de venganzas ni de perdones; el olvido es la única venganza y el único perdón.

28. Hacer el bien a tu enemigo puede ser obra de justicia y no es arduo; amarlo, tarea de ángeles y no de hombres.

29. Hacer el bien a tu enemigo es el mejor modo de complacer tu vanidad.

30. No acumules oro en la tierra, porque el oro es padre del ocio, y éste, de la tristeza y del tedio.

31. Piensa que los otros son justos o lo serán, y si no es así, no es tuyo el error.

32. Dios es más generoso que los hombres y los medirá con otra medida.

33. Da lo santo a los perros, echa tus perlas a los puercos; lo que importa es dar.

34. Busca por el agrado de buscar, no por el de encontrar . . .

39. La puerta es la que elige, no el hombre.

134

40. No juzgues al árbol por sus frutos ni al hombre por sus obras; pueden ser peores o mejores.

41. Nada se edifica sobre la piedra, todo sobre la arena, pero nuestro deber es edificar como si fuera piedra la arena...

47. Feliz el pobre sin amargura o el rico sin soberbia.

48. Felices los valientes, los que aceptan con ánimo parejo la derrota o las palmas.

49. Felices los que guardan en la memoria palabras de Virgilio o de Cristo, porque éstas darán luz a sus días.

50. Felices los amados y los amantes y los que pueden prescindir del amor.

51. Felices los felices.

LEYENDA

Abel y Caín se encontraron después de la muerte de Abel. Caminaban por el desierto y se reconocieron desde lejos, porque los dos eran muy altos. Los hermanos se sentaron en la tierra, hicieron un fuego y comieron. Guardaban silencio, a la manera de la gente cansada cuando declina el día. En el cielo asomaba alguna estrella, que aún no había recibido su nombre. A la luz de las llamas, Caín advirtió en la frente de Abel la marca de la piedra y dejó caer el pan que estaba por llevarse a la boca y pidió que le fuera perdonado su crimen.

Abel contestó:

—¿Tú me has matado o yo te he matado? Ya no recuerdo; aquí estamos juntos como antes.

—Ahora sé que en verdad me has perdonado —dijo Caín—, porque olvidar es perdonar. Yo trataré también de olvidar.

Abel dijo despacio:

—Así es. Mientras dura el remordimiento dura la culpa.

UNA ORACION

Mi boca ha pronunciado y pronunciará, miles de veces y en los dos idiomas que me son íntimos, el padre nuestro, pero sólo en parte lo entiendo. Esta mañana, la del día primero de julio de 1969, quiero intentar una oración que sea personal, no heredada. Sé que se trata de una empresa que exige una sinceridad casi sobrehumana. Es evidente, en primer término, que me está vedado pedir. Pedir que no anochezcan mis ojos sería una locura; sé de millares de personas que ven y que no son particularmente felices, justas o sabias. El proceso del tiempo es una trama de efectos y de causas, de suerte que pedir cualquier merced, por ínfima que sea, es pedir que se rompa un eslabón de esa trama de hierro, es pedir que ya se haya roto. Nadie merece tal milagro. No puedo suplicar que mis errores me sean perdonados; el perdón es un acto ajeno y sólo yo puedo salvarme. El perdón purifica al ofendido, no al ofensor, a quien casi no le concierne. La libertad de mi albedrío es tal vez ilusoria, pero puedo dar o soñar que doy. Puedo dar el coraje, que no tengo; puedo dar la esperanza, que no está en mí; puedo enseñar la voluntad de aprender lo que sé apenas o entreveo. Quiero ser recordado menos como poeta que como amigo; que alguien repita una cadencia de Dunbar o de Frost o del hombre que vio en la medianoche el árbol que sangra, la Cruz, y piense que por primera vez la oyó de mis labios. Lo demás no

143

me importa; espero que el olvido no se demore. Desconocemos los designios del universo, pero sabemos que razonar con lucidez y obrar con justicia es ayudar a esos designios, que no nos serán revelados.

Quiero morir del todo; quiero morir con este compañero, mi cuerpo.

HIS END AND HIS BEGINNING

Cumplida la agonía, ya solo, ya solo y desgarrado y rechazado, se hundió en el sueño. Cuando se despertó, lo aguardaban los hábitos cotidianos y los lugares; se dijo que no debía pensar demasiado en la noche anterior y, alentado por esa voluntad, se vistió sin apuro. En la oficina, cumplió pasablemente con sus deberes, si bien con esa incómoda impresión de repetir algo ya hecho, que nos da la fatiga. Le pareció notar que los otros desviaban la mirada; acaso ya sabían que estaba muerto. Esa noche empezaron las pesadillas; no le dejaban el menor recuerdo, sólo el temor de que volvieran. A la larga el temor prevaleció; se interponía entre él y la página que debía escribir o el libro que trataba de leer. Las letras hormigueaban y pululaban; los rostros, los rostros familiares, iban borrándose; las cosas y los hombres fueron dejándolo. Su mente se aferró a esas formas cambiantes, como en un frenesí de tenacidad.

Por raro que parezca, nunca sospechó la verdad; ésta lo iluminó de golpe. Comprendió que no podía recordar las formas, los sonidos y los colores de los sueños; no había formas, colores ni sonidos, y no eran sueños. Eran su realidad, una realidad más allá del silencio y de la visión y, por consiguiente, de la memoria. Esto lo consternó más que el hecho de que a partir de la hora de su muerte, había estado luchando en un remolino de insensatas imágenes. Las voces que había oído eran ecos; los rostros, máscaras; los dedos de su mano eran sombras, vagas e insustanciales sin duda, pero también queridas y conocidas.

De algún modo sintió que su deber era dejar atrás esas cosas;

ahora pertenecía a este nuevo mundo, ajeno de pasado, de presente y de porvenir. Poco a poco este mundo lo circundó. Padeció muchas agonías, atravesó regiones de desesperación y de soledad. Esas peregrinaciones eran atroces porque trascendían todas sus anteriores percepciones, memorias y esperanzas. Todo el horror yacía en su novedad y esplendor. Había merecido la gracia, desde su muerte había estado siempre en el cielo.

UN LECTOR

Que otros se jacten de las páginas que han escrito;
a mí me enorgullecen las que he leído.
No habré sido un filólogo,
no habré inquirido las declinaciones, los modos, la laboriosa
        mutación de las letras,
la de que se endurece en te,
la equivalencia de la ge y de la ka,
pero a lo largo de mis años he profesado
la pasión del lenguaje.
Mis noches están llenas de Virgilio;
haber sabido y haber olvidado el latín
es una posesión, porque el olvido
es una de las formas de la memoria, su vago sótano,
la otra cara secreta de la moneda.
Cuando en mis ojos se borraron
las vanas apariencias queridas,
los rostros y la página,
me di al estudio del lenguaje de hierro
que usaron mis mayores para cantar
soledades y espadas,
y ahora, a través de siete siglos,
desde la Ultima Thule,
tu voz me llega, Snorri Sturluson.
El joven, ante el libro, se impone una disciplina precisa
y lo hace en pos de un conocimiento preciso;

a mis años, toda empresa es una aventura
que linda con la noche.
No acabaré de descifrar las antiguas lenguas del Norte,
no hundiré las manos ansiosas en el oro de Sigurd;
la tarea que emprendo es ilimitada
y ha de acompañarme hasta el fin,
no menos misteriosa que el universo
y que yo, el aprendiz.

ELOGIO DE LA SOMBRA

La vejez (tal es el nombre que los otros le dan)
puede ser el tiempo de nuestra dicha.
El animal ha muerto o casi ha muerto.
Quedan el hombre y el alma.
Vivo entre formas luminosas y vagas
que no son aún la tiniebla.
Buenos Aires,
que antes se desgarraba en arrabales
hacia la llanura incesante,
ha vuelto a ser la Recoleta, el Retiro,
las borrosas calles del Once
y las precarias casas viejas
que aún llamamos el Sur.
Siempre en mi vida fueron demasiadas las cosas;
Demócrito de Abdera se arrancó los ojos para pensar;
el tiempo ha sido mi Demócrito.
Esta penumbra es lenta y no duele;
fluye por un manso declive
y se parece a la eternidad.
Mis amigos no tienen cara,
las mujeres son lo que fueron hace ya tantos años,
las esquinas pueden ser otras,
no hay letras en las páginas de los libros.
Todo esto debería atemorizarme,
pero es una dulzura, un regreso.
De las generaciones de los textos que hay en la tierra

sólo habré leído unos pocos,
los que sigo leyendo en la memoria,
leyendo y transformando.
Del Sur, del Este, del Oeste, del Norte,
convergen los caminos que me han traído
a mi secreto centro.
Esos caminos fueron ecos y pasos,
mujeres, hombres, agonías, resurrecciones,
días y noches,
entresueños y sueños,
cada ínfimo instante del ayer
y de los ayeres del mundo,
la firme espada del danés y la luna del persa,
los actos de los muertos,
el compartido amor, las palabras,
Emerson y la nieve y tantas cosas.
Ahora puedo olvidarlas. Llego a mi centro.
a mi álgebra y mi clave,
a mi espejo.
Pronto sabré quién soy.

INDICE

160

OBRAS COMPLETAS DE JORGE LUIS BORGES

HISTORIA DE LA ETERNIDAD *

"El tiempo —dice Borges— es un problema para nosotros, un tembloroso y exigente problema, acaso el más vital de la metafísica; la eternidad, un juego o una fatigada esperanza."

OBRA POÉTICA 1923-1967

Los poemas de Borges constituyen la expresión auténtica de un espíritu dado a captar el sentido metafísico de la vida y de las cosas. De ahí que al hacer versos, hace al propio tiempo filosofía.

FICCIONES *

La infatigable originalidad de Jorge Luis Borges encuentra en este libro oportunidad de amplio lucimiento. Traducido a varios idiomas, Ficciones fue galardonado en 1961 con el Premio Internacional otorgado por editores de Francia, Estados Unidos, Inglaterra, Italia, Alemania y España.

EVARISTO CARRIEGO

Aunque la mala literatura y las interpretaciones antojadizas tienden a prevalecer, el trabajo —hondamente meditado— que Jorge Luis Borges consagra a Carriego tiene la importancia capital del juicio que verifica errores y fija la escala de valores necesarios para una apreciación veraz.

DISCUSIÓN

En este libro Borges nos hace participar de esa íntima experiencia que durante muchos años ejercitara con los temas más relevantes de su preocupación personal: infinito, realidad, magia, infierno, cábala ...

EL ALEPH *

En estos cuentos Borges retoma sus temas favoritos y, de acuerdo con su acostumbrada modalidad inventiva, les da un imprevisto y deslumbrante planteo. El autor de Ficciones arriesga en cada página una nueva imaginación del universo fantástico, el universo más cabal de la literatura, que él como ninguno supo crear entre nosotros.

OTRAS INQUISICIONES

La densidad de los temas planteados en este libro corrobora una vez más la reconocida erudición de Borges. Penetrador de laberintos, nos comunica ahora ese caminar experimentado, con la delectación y fineza del poseedor de un maravilloso instrumento expresivo.

EL HACEDOR *

Corresponde a El Hacedor un lugar especialmente destacado en la producción de Jorge Luis Borges, pues como él mismo lo dice: "De cuantos libros he entregado a la imprenta, ninguno, creo, es tan personal como esta colecticia y desordenada silva de varia lección, precisamente porque abunda en reflejos y en interpolaciones."

HISTORIA UNIVERSAL DE LA INFAMIA *

En Historia universal de la infamia está Borges de cuerpo entero, manejando lúcidamente ese estilo suyo, donde nunca falta ni sobra una palabra.

* Editado también en la Colección Piragua.

Esta segunda impresión de
"Elogio de la sombra"
se terminó de imprimir
el día 28 de noviembre de 1969,
en los talleres de la Compañía Impresora Argentina, S. A.,
Alsina 2049, Buenos Aires.